Le Moulin à images | The Image Mill

Robert Lepage | EX MACHINA

Photographe | Photographer : Nicolas Ruel
Éditeur photo | Photo Editor : Frédérick Duchesne

Éditeurs | Editors :
Robert Lepage inc., Ex Machina

Éditrice | Publisher (Robert Lepage inc.) : Lynda Beaulieu
Éditeur | Publisher (Ex Machina) : Jean-Pierre Vézina
Chargée de projet | Project Manager : Martine Rochon
Adjoint à la chargée de projet | Project Manager's Assistant : Jean-Philippe Côté
Graphiste | Graphic Designer : Tanja Schiemann, Lacerte communications
Calibration | Calibration : Lacerte communications
Révision | Revision : Johanne Tremblay, Patrick Caux, Valériane Cossette
Traduction anglaise | English Translation : Ken Howe
Impression | Printing : Transcontinental Inc.

Dépôt légal | Legal deposit
Bibliothèque et Archives nationales du Québec, 2008
Bibliothèque et Archives Canada, 2008 | Library and Archives Canada, 2008
ISBN 978-2-9810671-0-4 (Ex Machina)
ISBN 978-2-9810680-0-2 (Robert Lepage inc.)

Note des éditeurs : Les images de ce livre ont été captées par Nicolas Ruel lors
d'une répétition et ne représentent pas le spectacle dans sa totalité.
Publishers' note: The pictures contained in this book were taken by Nicolas Ruel
at a rehearsal and do not represent the show in its entirety.

Si vous désirez être informé des publications
d'Ex Machina, vous pouvez nous écrire au :
If you wish to be kept informed of
Ex Machina publications, please write to :
103, rue Dalhousie, Québec (QC) G1K 4B9 CANADA
ou consulter notre site Internet | or visit :
www.lacaserne.net

Diffusion | Distributed by
Ex machina
103, rue Dalhousie, Québec (QC) G1K 4B9 CANADA

Le Moulin à images, spectacle son et images créé par Robert Lepage et Ex Machina, raconte l'histoire de Québec, berceau de la civilisation française en Amérique. Pendant l'été 2008, à la tombée de la nuit, l'œuvre a été projetée sur les silos à grain situés aux abords du bassin Louise dans le Port de Québec. Cette structure de béton s'est transformée en un immense écran de projection de 600 mètres de long sur 30 mètres de haut.

La première a eu lieu le 20 juin 2008, soir du solstice d'été.

La création et la diffusion du *Moulin à images* ont été possibles grâce à la contribution de la Société du 400ᵉ anniversaire de Québec et de ses Grands partenaires Desjardins et Hydro-Québec.

Ex Machina est un organisme à but non lucratif qui bénéficie du soutien du Conseil des arts et des lettres du Québec, du Conseil des Arts du Canada et de la Ville de Québec.

Ex Machina et Robert Lepage inc. tiennent à remercier particulièrement M. Ross Gaudreault, président-directeur général de l'Administration portuaire de Québec pour son appui indéfectible.

The Image Mill, a multimedia presentation created by Robert Lepage and Ex Machina, tells the story of the City of Quebec, cradle of French civilization in North America. Throughout the summer of 2008, at nightfall, the work was projected onto the grain silos beside Bassin Louise in the city's port. The enormous concrete structure was transformed into a huge projection screen, 600 metres long by 30 metres high.

The show premiered on June 20, 2008, the night of the summer solstice.

The Image Mill was made possible through the support of Société du 400ᵉ anniversaire de Québec and its major partners Desjardins and Hydro-Québec.

Ex Machina is a nonprofit organization supported by Conseil des arts et des lettres du Québec, the Canada Council for the Arts, and the City of Quebec.

Ex Machina and Robert Lepage Inc. would especially like to thank Ross Gaudreault, CEO of the Quebec City Port Authority, for his unfailing support.

Merci à | Thanks to : Martin Bureau, Luc Archambault, Office national du film du Canada, Bibliothèque et Archives nationales du Québec, Musée national des beaux-arts du Québec, Les Augustines de la Miséricorde de Jésus du Monastère de l'Hôpital Général de Québec, Action Patrimoine, Sico

Par sa situation géographique, son urbanisme et son architecture, Québec est sans contredit l'une des plus belles villes du monde. Extrêmement photogénique, elle a d'abord été cartographiée, puis dessinée, mise en gravure, peinte, photographiée, filmée et, plus récemment, numérisée. Ses habitants, ses quartiers et leurs histoires ont toujours constitué pour moi une source inépuisable d'inspiration. Je me devais donc, en retour, de rendre hommage à ma ville au moment où elle célèbre son 400ᵉ anniversaire.

Pour l'équipe ayant travaillé sur *Le Moulin à images*, le jeu aura été de faire dialoguer entre eux différents trésors iconographiques puisés à même une multitude d'œuvres et de documents d'archives. Et afin de mettre de l'ordre dans notre récit, nous avons choisi de les regrouper en quatre chemins ou, si l'on préfère, quatre époques : celle des chemins d'eau, celle des chemins de terre, celle des chemins de fer et celle du chemin d'air.

Avec ses 600 mètres de longueur, *Le Moulin à images* est la plus grande projection architecturale réalisée à ce jour et je m'en voudrais de passer sous silence l'énorme défi technique et technologique qu'aura été cette expérience.

Afin de dompter la gigantesque bête de béton qu'est la Bunge, nous avons dû faire face à de nombreuses embûches. Mais, comme c'est souvent le cas en création, ce sont les contraintes elles-mêmes qui nous poussent à trouver des solutions inédites et qui finissent par dicter la forme particulière d'une œuvre.

Après trois ans de tâtonnements, d'essais et d'erreurs, ce qui me réjouit le plus est de constater l'enthousiasme avec lequel les gens de Québec et leurs invités se sont approprié *Le Moulin à images* pour célébrer avec nous 400 ans d'une histoire à la fois belle et tumultueuse.

With its location, layout, and architecture, Quebec City is without question one of the world's most beautiful cities. Tremendously photogenic, it was initially mapped, then sketched, engraved, painted, photographed, filmed, and, most recently, digitalized. Its people, neighbourhoods, and stories have always been an inexhaustible source of inspiration for me. In return, I felt compelled to pay tribute to my city as it celebrates its 400th anniversary.

For the team working on *The Image Mill*, the gamble was to get the various visual treasures — extracted directly from a multitude of works and archival documents — to talk to one another. And to give order to our story, we chose to divide them into four paths, or four eras, if you will — waterways, pathways, railways, and airways.

At 600 metres in length, *The Image Mill* is the biggest architectural projection attempted so far, and I would be remiss not to mention what an enormous technical and technological challenge the experience has been for us.

In taming the gigantic concrete beast that is the Bunge, we faced many obstacles. But as is often the case in creative projects, these are the very constraints that force us into unexpected discoveries and, in the end, make the work what it is.

After three years of feeling our way in the dark, of trial and error, what I've enjoyed the most is the enthusiasm with which the people of Quebec City and their guests have taken ownership of *The Image Mill* in celebrating with us these 400 beautiful, tumultuous years of history.

Robert Lepage

BIOGRAPHIES | BIOGRAPHIES

ROBERT LEPAGE

Artiste multidisciplinaire, Robert Lepage exerce avec une égale maîtrise les métiers d'auteur dramatique, de metteur en scène, d'acteur et de réalisateur. Salué par la critique internationale, il crée et porte à la scène des œuvres originales qui bouleversent les standards en matière d'écriture scénique, notamment par l'utilisation de nouvelles technologies. Rappelons que son oeuvre est couronnée de nombreux prix, dont tout récemment le Prix Europe pour le Théâtre (2007).

A multidisciplinary artist, Robert Lepage displays equal mastery of the roles of playwright, director, actor, and producer. Critically acclaimed around the world, he creates and stages original works that have shaken the dogma of classical stage direction to its foundations, notably through the use of new technology. His work has received numerous awards, including recently the 2007 Europe Theatre Prize.

EX MACHINA

Ex Machina, fondée en 1994, est une compagnie de création artistique dirigée par Robert Lepage. Elle vise à provoquer des croisements entre des artistes et des scientifiques, entre des créateurs étrangers et québécois, entre les arts d'enregistrement et les arts de la scène. La compagnie diffuse son travail un peu partout en Occident et en Asie. Ex Machina est installée à la Caserne, centre de création multidisciplinaire situé à Québec.

Founded in 1994, Ex Machina is a multidisciplinary production company directed by Robert Lepage. It aims to provoke crossings between artists and scientists, between creators from different cultures, between recording and performing arts. The company is presenting its work in Occident and Asia. Ex Machina is based at la Caserne, an artistic and production centre in Quebec City.

NICOLAS RUEL

Nicolas Ruel est né à Montréal en 1973. À la suite d'études en relations internationales et en cinéma, il décide d'entreprendre les grands voyages qui le formeront définitivement comme photographe. Après avoir réalisé de nombreux photoreportages sur les cinq continents, Ruel collabore avec divers magazines internationaux d'architecture et de design. Ses projets artistiques font ensuite naître une complicité avec le *Cirque du Soleil, La La La Human Steps* et plusieurs autres compagnies de danse contemporaine.

Nicolas Ruel was born in Montreal in 1973. Following his studies in film and international relations, he embarked on extensive travels during which he would gain comprehensive photographic experience. After completing numerous photographic reports over the five continents, Ruel collaborated with several international architecture and design magazines. Through his artistic projects he developed a deep complicity with *Cirque du Soleil, La La La Human Steps* and several other modern dance companies.

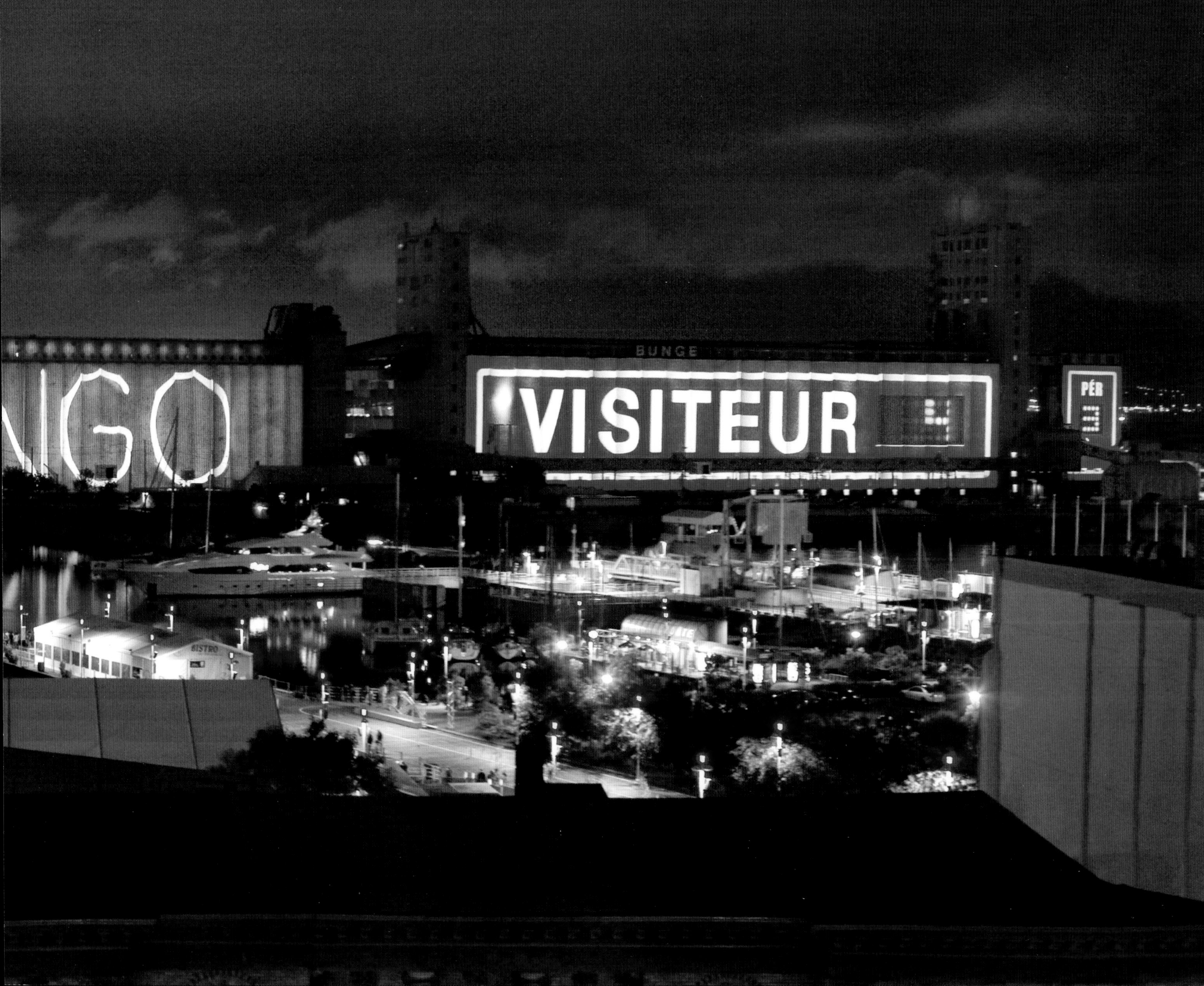

NGO
BUNGE
VISITEUR
PÉR
BISTRO

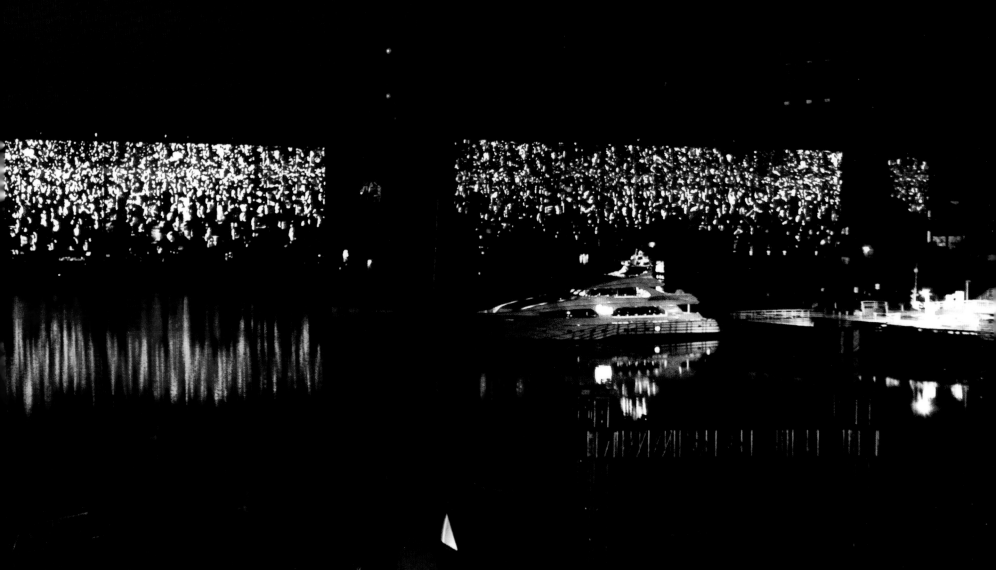

L'ÉQUIPE DU MOULIN À IMAGES | THE IMAGE MILL CREATIVE TEAM

Idée originale et conception
| Original concept and design
Robert Lepage

Coïdéateur et coconcepteur des images
| Co-creator and image design
Steve Blanchet

Compositeur et concepteur sonore
| Composer and sound design
René Lussier

Concepteur des éclairages
| Lighting design
Martin Gagnon

Coïdéateur et coscénariste
| Co-creator and cowriter
Philippe Meunier

Muséologue et coscénariste
| Museologist and cowriter
Philippe Dubé

Concepteur technique des projections
| Projection technical design
Paul Souverbie

**Coordonnatrice à la production
des images et adjointe à la création**
| Image production coordinator and
creative assistant
Marie Belzil

Coordonnateur adjoint à la création
| Assistant creative coordinator
Félix Dagenais

Assistance à la conception des images
| Image design assistant
Jacques Collin

Directeur de production
| Production manager
Mario Brien

Directeur technique
| Technical director
Michel Loiselle

Adjointe à la production
| Assistant production design
Caroline Pineau

Assistantes à la production
| Production assistants
Marie-Christine Martel
Sandra Matte

Conseiller à la réalisation des images
| Image production consultant
Pierre-Yves Toulot (Cosmo AV)

Programmation des images, maquette
| Image programmer, modelling
Jean-Philippe Turmel

**Programmation des images
et opérateur** | Image programmer
and operator
Sébastien Grenier-Cartier

Conception système vidéo ETC
| ETC video system design
Jean-Marc Constantien
Nicolas Manichon
Patrice Bouqueniaux

Chef infographiste | Head computer
graphics design
Maxim Boisseau

**Adjointe à la production des images et
recherchiste** | Image production assistant
and researcher
Valériane Cossette

Recherchistes | Researchers
Karine Charbonneau
Joëlle Cloutier
Anne-Marie Desmeules

Archiviste | Archivist
Mélanie Girard

**Infographiste, caméraman
et monteur vidéo**
| Computer graphics design,
camera operator, and video editor
Luc Saint-Laurent

Infographistes | Computer graphics design
François Mercier
Dominique Grenier
Olivier Breton
Sylvain Gignac
Ludovic Gauthier
Anne-Marie Lévesque
Nicoletta Kalatha
Sandrine Muratet
Anne-Marie Demers
Kim Maurice
Maxine Jutras
Véronique Dumont

Caméramen | Camera operators
Boris Firquet
Maxim Boisseau
Patrick Faucher

Responsable de la diffusion sonore
| Head of sound broadcasting
Jacques Boucher

Ingénieur de son et mixeur
| Sound engineer and mixer
Martin Messier

Musiciens de studio
| Studio musicians
Liette Remon
Jean René
Martin Tétreault
Némo Venba
Pierre Langevin
Jacques Drouin

Régisseur son | Sound director
Marc Doucet

Chef son | Chef son
Josué Beaucage

Preneur de son | Sound engineer
Pierre Bouchard

**Chargé de projet, électricité
et réseautage** | Project manager, electric-
ity, and wiring
Patrick Durnin

Assistants, éclairage
| Lighting assistants
Mathieu Rousseau
Donald Leblanc

Régisseur éclairage
| Lighting director
Dominic Minguy-Jean

Chef machiniste | Key grip
Jacques Rouleau

Machinistes / Techniciens
| Grips/Technicians
Jonathan Allaire
Éric Aubin
Valérie Bossinotte-Gosselin
Nicolas Boudreau
Véronique Dumais
Émilie Durette-Yockell
Jean-François Faber
Frédérick Fortier
Yves Gagnon
David Hugues
Danny Jenkins
Keena Lamarre-Meetaroo
Carolanne Laroche Loiselle
Daniel Mainguy
Olivier Marcil
Yves Marois
Simon Pedneault
Marc-Olivier Pelletier
Jérôme Vallée
Marc Vinceslas

Commissionnaire | Commissionnaire
Serge Loiselle

Menuisier | Carpenter
François Turgeon

Dessinateur, informatique
| Computer design
Richard Côté

ÉQUIPE REPRÉSENTATIONS
| PERFORMANCE TEAM

Directeur de site
| Site manager
Mario Brien

Adjointe au directeur de site
| Assistant site manager
Caroline Pineau

Régisseur vidéo
| Video director
Sébastien Grenier-Cartier

Régisseur son | Sound director
Marc Doucet

Chef son | Head of sound
François Côté

Régisseur éclairage
| Lighting manager
Dominic Minguy-Jean

Chef électricien
| Head electrician
François Tremblay

Électricien | Electrician
Guillaume Généreux

Chef vidéo | Head of video
Patrick Lefebre

Machiniste | Grip
Marie-Christine Martel

Techniciens vidéo (ETC)
|Video technicians (ETC)
Patrick Matuszek
François Rocchetti
Benoît Thomas
Mathieu Coutu
Nicolas Paquet

EX MACHINA
| EX MACHINA

Producteur | Producer
Michel Bernatchez

Vice-président aux finances
| Vice president, finance
Jean-Pierre Vézina

**Directeur administratif et
des ressources humaines**
| Administrative director
and public relations
Guy Lanteigne

**Directrice des communications
et relations publiques**
| Director of communications
and public relations
Martine Rochon

Adjointe au producteur
| Assistant producer
Valérie Lambert

Consultants techniques
| Technical consultants
Tobie Horswill
Catherine Guay

Administrateur de réseau
| Network administrator
Marc-Antoine Fleury

Adjointes administratives
| Administrative assistants
Sylvie Racine
Carmen Hattote

Agente de voyages et réceptionniste
| Travel agent and receptionist
Francine Dupuis

Adjointe au vice-président aux finances
| Assistant vice president, finance
Francine Poitras

Préposée à l'administration
| Administrative clerk
Virginie Leclerc

Technicien d'atelier
| Workshop technician
Sylvain Durocher

Préposée aux archives
| Archives clerk
Véronique St-Jacques

Homme de maintenance
| Maintenance
Daniel Bernatchez

ROBERT LEPAGE INC.
| ROBERT LEPAGE INC.

Agente et adjointe de Robert Lepage
| Agent and assistant to Robert Lepage
Lynda Beaulieu

Adjointe de Lynda Beaulieu
| Assistant to Lynda Beaulieu
Johanne Tremblay

Assistants de Robert Lepage
| Assistants to Robert Lepage
Patrick Caux
Francis Beaulieu

E*m*

RLI